W9-CQG-345

全彩图
升级版

四五快读

故事集

杨其铎 著

湖南科学技术出版社

图书在版编目（CIP）数据

四五快读　故事集 / 杨其铎著. ——修订本. ——长沙：湖南
科学技术出版社，2011.2

ISBN 978-7-5357-6622-9

Ⅰ. ①四… Ⅱ. ①杨… Ⅲ. ①识字课—学前教育—教学参考
资料　Ⅳ. ①G613.2

中国版本图书馆CIP数据核字（2011）第022713号

四五快读　故事集 全彩图　升级版

著　　者：杨其铎

责任编辑：柏　立

出版发行：湖南科学技术出版社

社　　址：长沙市湘雅路276号

　　　　　http://www.hnstp.com

邮购联系：本社直销科　0731-84375808

印　　刷：长沙超峰印刷有限公司

　　　　　（印装质量问题请直接与本厂联系）

厂　　址：宁乡县金洲新区泉洲北路100号

邮　　编：410600

出版日期：2016年10月第1版第14次

开　　本：787mm×1092mm　1/16

印　　张：7.5

书　　号：ISBN 978-7-5357-6622-9

定　　价：29.80元

杨其铎

　　早几年就有编《四五快读故事集》的想法。

　　原因是在我这儿学习的孩子读完《四五快读》前七册后，就可以连蒙带猜地看懂报纸中60%的内容，因此他们产生很强烈的成就感，使我感到应该用一种方法让孩子学完《四五快读》前七册后，更快提高阅读兴趣和阅读能力。

　　我想，如果能够根据《四五快读》已经学过的汉字编写更多有趣的故事，孩子们读的时候，故事中的汉字都认识，就容易很流畅地读下去，从而对阅读产生更大的兴趣。即使有的故事加上了一些新汉字，孩子们仍可以猜着"通读"，能自己学会新字，锻炼自学能力，也就为以后的热爱阅读打下坚实基础，对他们是一生受益的事情。

　　当时因为在写其他的书，未能把精力放到这个地方。

　　随着《四五快读》第一版和第二版的出版，承蒙家长的慧眼，小朋友的喜爱，这套书受到了广大读者的好评。很多读者给我电话或者邮件，都提到能否有后续的故事给小朋友看。

　　根据大家的要求，我用了一段时间，编成《四五快读故事集》。《四五快读故事集》以《四五快读》前六册的552个汉字为基础，编成50个小故事。前8

个故事没有加任何新汉字，从第9课起，就逐渐加入新汉字，以便让小朋友再逐渐积累汉字，提高阅读水平。《四五快读故事集》共加入新汉字273个，读完《四五快读故事集》，加上前七册学会的552个汉字，共会认识825个汉字。

为了区分新字，《四五快读故事集》中的新汉字都印成红颜色，在每个故事后，把新汉字提出来，并注上拼音。

读《四五快读故事集》时，有几点请家长注意：

1. 读之前，最好把前六册中总结的全部汉字做个复习（第七册即为复习专册）。

2. 因为故事中认识的字占了90%以上，所以孩子可以囫囵吞枣地读下来。孩子读时，家长不必要指导或干扰他，而是鼓励他们自己读。并且要鼓励说："我知道你自己能够读明白这个故事，而且自己还会认识没有学过的字。如果不会，把它做出记号，然后来问我。"这样会给孩子一个自学的空间，也会提高孩子阅读的积极性。

3. 如果小朋友逐渐学会了拼音，可以让他们自己通过拼读来掌握新汉字，也是提高自学能力的途径。

希望孩子们喜爱这本书，通过读故事提高阅读能力，养成爱读书的良好习惯。

2011年元月

目 录

春 游

　　星期六上午，爷爷、奶奶带我到公园去春游。公园里的草地上有很多花，有红花，有黄花，有蓝花，还有白花。桃树上的桃花开得真多，公园里很多人也都在看花。

　　小朋友们在游乐园里玩，我也和他们一起很友好地玩了一会儿。

　　在猴山上，我们还看见好多小猴子。有的

　　小猴子跑来跑去，有的爬到树上，还有的躲在猴山上的洞里。坐着的小猴子，这个用手捉那个小猴子身上的不知道是什么的东西，那个小猴子也给这个小猴子捉东西，大家都很友爱。它们还很快乐地吃着人们丢给它们的东西。猴妈妈抱着小猴子，还能很快地跑来跑去，有时又会飞快地爬到树上。

　　爷爷照了很多照片，照了草地上的花儿，照了桃树，照了小猴子爬山，还照了我和奶奶。

　　回家我要告诉爸爸和妈妈，今年的春游真快乐！

小鸡和小鸭

小鸡和鸡妈妈住在河东，小鸭和鸭妈妈住在河西。

有一天，住在河东的鸡妈妈带着小鸡来到河边的草地上，教小鸡捉虫子。住在河西的鸭妈妈带着小鸭也来到河边，教小鸭捉河里的小鱼。

小鸡看见小鸭很高兴，就叫小鸭过来和他

一起捉虫子。

小鸭看见小鸭也很高兴，也叫小鸡过来和他一起捉小鱼。

鸡妈妈教小鸡捉小虫，小鸡一下子就捉到一只小虫，高兴得不得了。

鸭妈妈教小鸭捉小鱼，小鸭一下子也捉到一条小鱼，也高兴得不得了。

小鸡想学小鸭去捉小鱼，但怎么也捉不住小鱼；小鸭也想学小鸡去捉小虫，但怎么也捉不到小虫。

你说，小鸡怎么就捉不住小鱼，小鸭怎么就捉不到小虫呢？

玩 球

小兔子在河边玩球，玩得可高兴了。

在河里玩的小鸭子看见了，问小兔子："我能和你一起玩球吗？"小鸭子很想和小兔子一起玩球。

"不，我就想一个人玩。"小兔子说。

没想到，球一下子掉到河里去了。

小鸭子马上游过去，拿起球，把它丢到小兔子身边。

"你一个人玩吧！"说着就要游走。

"小鸭子，你不要走，我们一起玩，好吗？我还要谢谢你帮我拿到了球啊！"

"不用谢！"小鸭子高兴地说。

小鸭子和小兔子就一个在河里，一个在河边，你把球丢给我，我把球丢给你。

他们玩得可开心呢！

春 天

　　我家门口的桃树上有一只爱唱歌的小黄鸟，他天天都要唱很多好听的歌。

　　这天一早，小草苗青青听见小鸟的歌声，把头伸出了地面："谁的歌唱得这么好听呀？原来是小鸟。小鸟，小鸟，早上好！"

　　"小青青——你好——"小鸟唱着歌向小草苗青青问好。

"小鸟，小草，你们好！"桃树上的桃花也向他们问好。

"小桃花——你好——"小鸟拉了长长的歌声向小红花问好。

从南方飞回来的燕子姐姐也向他们问好。

"小青青，小桃花，燕子姐姐，我们一起来唱歌吧？"小鸟请小草、小桃花和燕子姐姐和他一起唱歌。

"好吧！"

"啦啦啦——啦啦啦——我们是快乐的小娃娃——"大家一起唱起来。"春天来啦！春天来啦！大地绿啦，太阳公公对我们笑啦!"

"草长高啦——"小草苗青青唱道。

"桃花开啦——"小桃花唱道。

"南飞的燕子回到家啦——"燕子姐姐唱道。

太阳公公和他们一起唱道："多么好的春天，多么好的阳光，大家一起快快成长——"

燕子过冬

天，一天比一天冷了。大家都在想着过冬的事儿。

燕子妈妈对孩子们说："我们要飞到南方去，那里是暖和的地方。"

可是小燕子们不想去南方，他们想和别的鸟一起在北方过冬。

孩子们，天冷了，我们要飞到南方去！

燕子妈妈说："有的鸟可以在北方过冬，可是我们不能在北方过冬。"

小燕子们问妈妈："为什么呢？"

"因为我们吃的小虫在北方的冬天都会冻死，我们没有了吃的东西，也会饿死的。南方的冬天不冷，小虫就不会冻死。"燕子妈妈说。

"啄木鸟姐姐吃的小虫就不会冻死吗？"小燕子问。

"啄木鸟姐姐吃的都是藏在树木里面的小虫子，它们在冬天都不会冻死。啄木鸟姐姐就可以在北方过冬。"

"等到春天天气暖和了，妈妈再带你们飞回来。"

小燕子们听明白了妈妈的话，就和妈妈一起飞到南方过冬去了。

小 鸟

一只聪明的小鸟很会学不同的声音，它学的时候，很多人都不知道是小鸟发出来的声音。

一天，它看见一只狐狸正在轻轻地向一只小鸡走过去

近了，近了，很近了，就在狐狸刚要扑上去时，小鸟学了一声狐狸叫。

小鸡飞快地逃跑了。

狐狸气坏了，他以为是自己叫的，就抬

起左手，用力打自己的左嘴巴："该死的嘴巴，你叫什么！你看，小鸡跑了。"这一打，打落了左边的三颗牙。

狐狸生气地向前走，小鸟在后面跟啊跟。

狐狸又看见前面有只小白兔，又要去捉它。

近了，近了，很近了，就在狐狸刚要扑上去时，小鸟又学了一声狐狸叫。

小白兔飞快地逃跑了。

狐狸更气了，他抬起自己的右手，用力打自己的右嘴巴："该死的嘴巴，你叫什么！你看，小兔子跑了。"这一打，打落了右边的三颗牙。

掉了六颗牙的狐狸再也不能咬小动物了。

小鸟快乐地唱着自己的歌飞走了。

天的家

　　太阳公公、月亮婆婆和星星住在天上，天是太阳、月亮和星星的家。

　　家里的爸爸是太阳，妈妈是月亮，星星是他们的孩子。太阳公公和月亮婆婆都老了，可是他们一直都在上班。太阳公公上白班，月亮

婆婆和星星孩子上晚班。

　　每天，人们还在睡觉时，太阳公公就起来上班了。他一出门，天就亮了。

　　小公鸡看见太阳公公上班，马上就大声唱起来："天亮了，快起来！天亮了，快起

来！"它总是想在太阳公公上班前就起来唱歌，可总是没有太阳公公起得早。

太阳公公在天上一边走，一边放出金光，照着大地。他看见树苗和小草一节一节地长高，看见小牛和小羊大口大口地吃着青草，看见高山、大河也闪着金光，看见人们在忘我地做事。太阳公公高兴地笑了。

太阳公公上了一天的班，走了一天的路，现在要下班回家了。他一到家，天就黑了。小公鸡睡了，小牛和小羊也睡了，人们也都回家吃饭去了。

太阳公公吃着月亮婆婆做的饭，说："好吃，好吃，做得真好吃。谢谢你！谢谢你！"

月亮婆婆带着她的孩子们一起出去上班了。

小朋友，当你晚上抬头看着天上时，是不是看见了月亮婆婆的笑脸和一闪一闪的星星？

她们看着你睡觉，还送给你一个甜甜的梦。

好朋友

小鸡和小鸭是好朋友，他们长大了。

一天，小鸡和小鸭吃过早饭后，一起出去玩。他们来到小河边，小鸡说："我还没有过河去玩过，我好想过去玩的。"

小鸭说："好，我们一起过河去玩吧！"

可是小鸡不会游泳，过不去。怎么办呢？

小鸭想出一个好办法，"你爬到我的背上，我驮着你游泳，不就能过河了吗！"

小鸡爬到了小鸭的背上，小鸭驮着小鸡，游呀游，好开心呀！他们还看见河边有很多荷花和荷叶，真好看！不一会儿，就游过了河。

过了河，小鸡和小鸭一起玩"捉迷藏"的游戏，两人说好，一个人藏，一个人找。

这回是小鸡找小鸭。

　　小鸭找到一个树洞，心想："我躲进去，小鸡就再也找不到我了，这可真是一个好地方。哈哈！"正想得高兴时，一不小心掉到了树洞里。

　　不好了！小鸭在洞里看，洞口很高，他就跳起来，想跳到洞口出去，可是跳不到这么高；小鸭想爬，可是也爬不上去。

　　小鸭着急了，只好大声喊叫："小鸡，小鸡，我掉到树洞里，出不去了。你快来呀！快来救我出去呀！"

　　小鸡正要去找小鸭，听到小鸭的叫声，跑到树洞口一看，不得了，小鸭在下面，真的上不来了。

　　"你不要着急，我们来想想办法。"

　　想呀想，"有了！"小鸡跑到河边，拉下一片荷叶，从河里装进了河水，再抱着装了水的荷叶跑到树洞口，把水倒进去。

　　小鸡一回又一回地把水倒进树洞里，洞里的水多了，在水面上的小鸭也快到洞口了。

　　小鸡倒进最后一回水时，小鸭出了树洞口。

　　小鸡和小鸭抱在一起跳呀，笑呀。

　　小鸭说："谢谢你，救我出了树洞。"

　　小鸡也说："我也谢谢你，驮我过了小河。"

对不起

　　放学后，我和聪聪一起在马路边上玩球，我们玩得很开心。我把球丢给聪聪，他接过球，再把球丢给我，看谁丢得不准，看谁接不住球。我们正玩得高兴时，一不小心，球打到

路边一位过路的老奶奶头上。

我们很害怕，马上跑过去，对她说："对不起，对不起，我们是不小心的。"

奶奶笑着说："没有关系，以后玩球要小心啊！"

我们要送她回家去，她说她家不远，不用送，就自己回去了。

我们刚刚回过头准备丢球时，老奶奶又回来了："你们不要在马路边上玩球，这里来往的车太多，还是到家门口玩吧！"

我们谢谢老奶奶对我们的关心，就跑回家，在门口玩起来。

以后我们一定会听话，会小心的。

xì

系

认 字

小猴子爱念书，可是有好多字不认得。

他去问小山羊，小山羊正在草地上玩，可是他也不认得："你去问我妈妈吧，她在家里做饭呢。"

山羊妈妈是老师。

小猴子到了山羊家，看见门是开着的，就大声说："山羊妈妈，我能进来吗？"

"你进来吧！"山羊妈妈说。"有什么事吗？"

"我念书，有好多字不认得，想来请教老师。"

"好啊，你真是个爱学习的好孩子。来，我来告诉你。"

学会了生字后，小猴子要回家了，他对山羊妈妈说："谢谢你教我认字。再见！"

山羊妈妈说："你真是个爱学习又有礼貌的好孩子。我要小山羊向你学习呢！"

shī

师

夏天到了

夏天到了，一点风也没有，知了在树上有气无力地唱着歌。听着知了的歌声，大家都要睡着了。

天气太热了，一动就要出汗，大家就什么事情都不想做了。

长出了后腿的小青蛙一边在水里游泳，一边"呱呱"地叫着："好热啊！好热啊！快到水里来吧，水里可凉快啦！"

谢谢！

小鸭子马上跳到水里，还把头放进了水里。"大鹅，大鹅，你也快下来吧！水里好凉快的。"

大鹅正在给小鸡扇风，小鸡也热得受不了了。

"你游吧，我要给小鸡扇风，不然她就受不了了。"

小鸡听到大鹅的话，就说："你去游泳吧，我在水边看你们游泳。在水边可能会凉快一点。"

大鹅跑到水边和小鸭子说了一会儿话，又跑回来，对小鸡说："我和小鸭子说好了，你爬到我的背上，我驮着你到水里去。小鸭甩点水到你身上，你就会凉快的。"

小鸡想想，也好，就爬到了大鹅的背上。

大鹅下水了："你不要动啊，我怕你掉到水里去。"

在水里真开心，小鸭不时地把水甩到小鸡身上，小鸡真的就不那么热了。

大家游到太阳快下山时，就从水里爬上来回家去了。

天黑时，天气不那么热了。

qíng
情

小冰孩儿

乐乐真爱哭，为一点点小事就会哭呀哭，哭个不停。

爸爸说："乐乐，不要哭，哭多了，眼睛会红的，会痛的。"

妈妈说："乐乐，不要哭，眼泪流到耳朵里，耳朵会痛的。"

奶奶说："乐乐，不要哭，哭多了，会说不出话来。"

可是，大家的话乐乐都不听，还是哭呀哭，哭个不停，气得爸爸、妈妈、奶奶都走了。

乐乐的眼泪可真多，流呀流，流个没完。从身上流到地上，地上成了一条小河。

吓得布娃娃尖叫起来："不好了，不好了，大水来啦！"

玩具船上的老爷爷把布娃娃救到船上，生气地对乐乐说："你再哭下去，我就开船了。我要把你的玩具都用船带走，你再也看不到它们了。"

可是，乐乐还在哭，声音越哭越大了。

　　"呼"的一声，北风伯伯把门吹开了。
"啊哈，原来是你在哭，你的哭声这么大，把
我的声音都盖住了。好吧，我们就来比一比，
看谁的声音大。"

　　"呼，呼，呼！"
"呼，呼，呼！"北
风伯伯用力吹啊吹，
吹得大树直点头：
"不要再吹了，太冷
啦！"

　　大家都回到了
屋子里，太冷了。

　　河水冷得结了
冰。可怜的乐乐也变

成了一个冰小孩儿。

　　她站在那里，全身都是冰，不能动，也不能说话。

　　这时，她多想能有人来救她呀："爸爸——妈妈——奶奶——你们在哪里呀？快来救我吧！"可是她喊不出声音。

　　啊，太阳公公出来了，他赶走了北风伯伯。

　　太阳公公照着乐乐，照呀照，乐乐身上的冰慢慢化了。

　　乐乐可以动了，可以说话了："太阳公公，谢谢你救了我。我以后再也不哭了。"

　　太阳公公笑了，笑得脸红红的。

lèi	yuè	zhàn
泪	越	站

玉米的"尾巴"

　　玉米在土里面时，是没有头发的。在它长大了，把头伸到土地上面时，还是没有头发。它长呀，长呀，长高了后，它的头上面就长出了好多根头发，黄黄的，风吹来时，很好看。玉米可高兴了："谁也没有我长得这么好看。"就是做梦都是甜甜的。

有一天，山羊路过玉米地："呀！玉米怎么有这么好看的胡子呢？我的胡子还没有它的好看！"他一边说着，一边走了。他还对朋友们说这件事。

小猴子听到了这件事，很高兴。他是很想自己也能有山羊那样的胡子，就跑去看。"不是吧！胡子怎么能那么长呢？那是头发吧？不过也像尾巴，只有尾巴才有那么长。"

小猴子也对大家说："山羊说得不对，玉米长的不是胡子。不过我也不知道长的是头发，还是尾巴？"

小兔子的尾巴很短，这件事成了他的心事。他听到小猴子的话后，也跑到玉米地去看。"啊！是尾巴，是尾巴！"

玉米已经给他们说得迷糊了，它也不知道自己长的是头发，是胡子，还是尾巴？

小朋友，你说呢？

xiàng
像

hú
糊

猴子和老虎

一只老虎好几天没有找到吃的东西，很饿，很想找到吃的东西。

它捉住了一只睡着了的小猴子，它对小猴子说："对不起，我要吃掉你。我好几天没有吃到东西，我太饿了。"

小猴子没有害怕，它说："没关系，你把我吃了吧！只是我怕你吃了我，还是会饿。"

老虎问："吃了你怎么还会饿呢？"

"我的个子那么小，身上又没有多少肉。过不多时，你一定又

会饿的。"小猴子说。

"那倒也是，不过目前我吃了你，总会好很多。"老虎很想马上吃了小猴子，就要去咬小猴子。

"你先不要着急！我带你去找可以让你吃了，好几天都不饿的大动物。"小猴子说。

"那好，你带我去吧！"老虎说，"反正你也跑不了。"

小猴子就带着老虎上山了。走着，走着，看见梅花鹿站在大树下，梅花鹿的长鹿角高高地顶在头上。

梅花鹿一看见老虎拉着小猴子，就明白小猴子是让老虎给捉住了。

聪明的梅花鹿马上就说："啊哈！小猴子，你说好要给我送第12只老虎来的，怎么今天才送来？以前那11只老虎的虎皮，我都做好了，就等这一只了。"

老虎是很怕梅花鹿的长角的，再一听梅花鹿的话，就吓得放开小猴子逃跑了。

ràng	dì	fǎn	pí
让	第	反	皮

大石头

不知是哪一天，小路上多了一块大石头。石头很大，要从这条路走过去，不大好办。

小羊和小牛天天都要走过这条路去吃草，小鸡和小鸭天天都要走过这条路去捉虫，小兔、小猫、小猴子和小狗也天天都要走过这条小路。

可是，大石头拉也拉不走，推也推不动，怎么办呢？

大家一起想办法吧！大家就在一起开了一个会。

小猴子说："我们去找一根棍子放在大石头下面，几个人在后面推，就能把大石头推走。"

小狗跑得快，很快就找来一根大棍子。

聪明的小猴子，想办法把棍子放到了石头的下面。"好，大家都到大石头后面，我喊一、二、三，大家一起用力推。"

　　小羊、小牛、小兔、小猫和小狗都到了大石头后面，小鸡和小鸭也要推。大家说："你们太小了，就给大家加油吧！"

　　小猴子就大声喊了："一、二、三！"

　　推呀推，大家都用出最大的力气推。大石头只动了一下，又不动了。

　　小猴子说："再来一回吧，大家用力啊！"

又推了一回，石头还是只动了一下，又不动了。

小猴子想了想："我知道了，力气小了一点儿。小鸡，小鸭，你们来喊一、二、三，我也和大家一起推。"

小鸡和小鸭就一起大声喊："一、二、三，加油！加油！"

啊，大石头动了，大家还是用着最大的力气推。推呀推，大石头给推出了小路。

大家高兴地笑着，跳着，唱着："大家一起用力气，我们把石头推走啦！"

从那天后，小路好走了，大家可开心了。

kuài	tuī	yóu	nà
块	推	油	那

我在长大

　　我们是幼儿园的小朋友，我们在幼儿园里住。我们天天都是自己起床，自己穿衣，自己吃饭；晚上也是自己睡觉。我们都是能干的孩子。

　　在幼儿园里，老师教我们唱歌，教我们跳舞，教我们画画，教我们做手工，还给我们讲故事。

　　我们在幼儿园里学到了很多知识，我们会认字，会念书，还会做算数。

幼儿园里有很多小朋友，我们在一起学习，一起唱歌，一起跳舞，一起做游戏。我们都是好朋友。

在幼儿园里我们很快乐。

可是，我慢慢在长大，我很快就要去上学，要成为小学生了。

上学后，我会有很多新朋友，我们都是同学。我们大家在一起上课，在一起学习，下课后，在一起游戏。

在学校里我们会有很多新老师，他们会教我们很多很多知识。

我真想快快上学去。

chuān
穿

yī
衣

gù
故

wǔ
舞

jiǎng
讲

xīn
新

猫和老鼠

你知道为什么在中国人的12生肖中没有猫，可是有老鼠这件事吗？

事情是这样的：

在很早很早以前，有一天，人们说："我们要选12种动物当做人的生肖，一年一种动物。"

可是，天下的动物太多了，选哪12种好呢？

于是，人们定好了一个日子，叫动物们来报名，就选先到的12种动物。

猫和老鼠是好朋友，又住得很近，他们都想去报名。

猫说："我们得一早去报名，可是我一睡着了，就醒不过来。这怎么办呢？"

老鼠说："别着急，别着急，你就睡你的大觉，我一醒来，就来叫你，我们一起去。"

猫听了很高兴："你真是我的好朋友，谢谢你了。"

到了报名的那天，一大早，老鼠就醒了，可是他只想到自己的事，把好朋友给忘了。

老鼠被选上了，高高兴兴回到家里，这才想起没有叫猫起来。急急忙忙跑到猫家里，看见猫还在呼呼地睡大觉。

猫没有去报名，当然就没有被选上。你知道他有多生气呀！所以从那以后，猫见了老鼠，都要扑过去咬，直到现在还是这样。

xiàn	xiāo	xuǎn	bào
现	肖	选	报

第一的老鼠

12生肖中，老鼠第一。为什么比它大得多的牛还是第二呢？

这还得从报名那天说起。

报名那天，老鼠起得很早，牛也起得很早。他们在路上一起走，牛的个头大，腿也长；老鼠个头小，腿也短。就是牛走得慢，也比老鼠快，老鼠跑得上气不接下气，才刚刚赶上牛。

老鼠心想，路还远着呢，我都快跑不动了，这可怎么办呢？想啊想，想出一个办法。

"牛哥哥，牛哥哥，我来给你唱个歌听。"老鼠对牛说。

"好啊，好啊，你唱吧！"牛说。

等了一会儿，还没听见老鼠唱歌。"咦，你怎么没唱啊？"

"我在唱哪，你没听见？"老鼠说。"哦，我知道了。我的声音大不了，你听不见。这样吧，我骑在你的背上唱歌，你就听见了。"

"好吧！"老鼠就爬到牛的背上，牛驮着它走。

老鼠就在牛背上唱起来：

"牛哥哥，牛哥哥，爬小山，过小河，我唱歌，你听歌，我们两个真快乐。"

牛一听，乐了，走得也更快了。

很快，他们到了报名的地方，谁也没来，他们是第一个。"我是第一名，我是第一名！"

牛还没有把话说完，老鼠已经从牛背上飞快地爬下来，一下子跑到牛的前面去了。

结果，老鼠是第一名。所以在12生肖中，小小的老鼠是第一；比它大得多的牛是第二。

yí
咦

ò
哦

wán
完

画 家

有一个人喜欢画画，开了一个画店。可是没有人来买画。

朋友让他画一张自己和老婆的画，贴起来，大家就知道他画得好了。

他觉得有道理，就画了画贴起来。

一天，他的老爸经过这里，进来看。看了

一会儿，就指着画上的男人问："画上这个人是谁呀？"

儿子很奇怪地说："就是你的儿子，我呀！"

老爸又盯着画看了一会儿，问："在你边上的、面很生的人是谁呀？"

"我的老婆呀！"儿子不高兴地说。"那么，老爸，你看我画的我自己，哪里最像？"

老爸看得更仔细了。"帽子最像，衣服也还像……"

儿子赶忙问："那脸上什么地方最像？"

"我看呀，胡子还有点像。"

fú	diàn	mǎi	nán
服	店	买	男

dīng	zǐ	xì
盯	仔	细

豆豆和妞妞

北边一栋楼，
住着小豆豆。

南边一栋楼，
住着小妞妞。

玩起小皮球，
生字丢脑后。

生字不离手，
天天认不够。

生字不爱小豆豆，
她和豆豆是对头，

生字喜欢小妞妞，
她和妞妞是朋友，

躲进豆豆书包里，
一个一个不露头。

钻进妞妞脑袋里，
一个一个不想走。

dòu
豆

lù
露

xǐ
喜

huān
欢

zuān
钻

dòng
栋

niū
妞

小蜗牛

　　春天的时候，蜗牛妈妈对小蜗牛说："到小树林去玩玩吧，树叶发芽了！"

　　小蜗牛爬得很慢很慢，好久才爬回来，它对妈妈说："树林里的小树长满了叶子，地上还长了很多草莓呢！"

　　蜗牛妈妈说："哦，已经是夏天了！快去采几颗草莓回来吧。"

　　小蜗牛爬呀、爬呀，好久才爬回来。"妈妈，草莓没有了。地上长着蘑菇，还有好多黄

色的树叶。"

"哦，已经是秋天了，那你快去采几只蘑菇回来吧！"

等到小蜗牛爬回来的时候，它对妈妈说："蘑菇没有了，树叶全掉了，地上盖着雪。"

"哦，已经是冬天了。那你就躲在家里过冬吧！"蜗牛妈妈说。

wō	jiǔ	méi	sè	jǐ
蜗	久	莓	色	几

找找小蚂蚁

小蚂蚁玩呀玩，玩累了。蜗牛说："累了吧？快到我屋里睡一会儿吧！"小蚂蚁进了蜗牛壳，睡着了。

小蜗牛爬呀爬，爬累了。小猫说："累了吧？快到我耳朵里睡一会儿吧！"小蜗牛爬进了小猫的耳朵，睡着了。

小猫跑呀跑，跑累了。袋鼠说："累了吧？快到我的袋子里睡一会儿吧！"小猫进了袋鼠的口袋，睡着了。

袋鼠跳呀跳，跳累了。河马说："累了吧？快到我的嘴巴里睡一会儿吧！"袋鼠跳进了河马的嘴巴里，睡着了。

该吃饭了，蚂蚁妈妈到处找小蚂蚁。"蚂蚁宝宝，蚂蚁宝宝！回家吃饭啦！"

小蚂蚁在哪里呢？

正在这个时候，河马张开大嘴打了个哈欠，同时袋鼠妈妈、小猫、小蜗牛和小蚂蚁都打了个哈欠，大家都醒了过来。

袋鼠妈妈从河马的大嘴巴里跳了出来，小

猫从袋鼠妈妈的袋子里跳了出来，小蜗牛也从小猫的耳朵里爬了出来，同时小蚂蚁也从小蜗牛的壳里爬了出来。

"妈妈，我在这儿。"

蚂蚁妈妈抱起了小蚂蚁，回家去了。

mǎ	yǐ	lèi	ké
蚂	蚁	累	壳

dài	chù	qiàn
袋	处	欠

小老鼠偷米

夜里，小老鼠出来偷米吃。它在柜子里找到一个小袋子，袋子上有字，小老鼠不认识。它咬破袋子一看，里面全是黄色的小粒粒。

"这一定是比大米还好吃的米。"小老鼠就吃了一粒。很甜，真好吃。小老鼠把一袋子小粒粒全吃光了。

"不好，这种米怎么会跳？"原来小老鼠吃的是跳跳豆。跳跳豆在小老鼠肚子里跳呀、跳呀……小老鼠也跳呀、跳呀……一直跳进了家门。

小老鼠的家很小，小老鼠一跳，整个屋子也被小老鼠顶得一跳一跳的。

大白猫经过小老鼠的家，看见小老鼠的屋

子一跳一跳的，很是奇怪，就用手用力地按小老鼠的屋顶。屋顶一下子顶到了小老鼠的头，它就跑出来看发生了什么事。

一出门，看见了大白猫，小老鼠吓得没命地跑。它一跑，跳跳豆又从它的肚子里跳了出来，还跳出来很多。

大白猫停了下来，把地上的跳跳豆吃了。

没想到，大白猫也跳了起来。跳呀、跳呀……一直跳进了白猫的家。

小老鼠也就回到了自己的家。

yè	tōu	guì	shí	lì
夜	偷	柜	识	粒

家掉到水里去了

小公鸡清早起来，走到湖边往水里一看，大吃一惊：小鸟家的屋子怎么掉到水里去了？

小公鸡赶紧跑到小兔家："不得了，小鸟

的家掉到水里去了。"

小兔赶紧跑到了小猫家："不得了，小鸟的家掉到水里去了。"

小猫赶紧跑到小狗家："不得了，小鸟的家掉到水里去了。"

小狗赶紧跑到小鸭家："不得了，小鸟的家掉到水里去了。"

小鸭要去救小鸟，赶忙跳进湖里，水面起了一圈一圈的水波："咦，水里哪儿有小鸟的家呀！"

"啾，啾，啾。"湖边的树上响起了小鸟的叫声。小鸭抬头一看："哦，原来是这样！"

小公鸡、小猫、小狗也一齐说："哦，原来小鸟的家还是在树上。"

小朋友，你知道这是怎么回事吗？

jīng	jǐn	bō	jiū	qí
惊	紧	波	啾	齐

小兔子找太阳

有一只可爱的小兔子，要去找太阳。

小兔子碰到一只小松鼠，就走上前去问："松鼠姐姐，太阳是什么样子的？"

小松鼠告诉小兔子："太阳是红红的、圆圆的。"

小兔子来到屋子里，指着两个红红的、圆圆的灯笼问妈妈："妈妈，这是太阳吗？"

妈妈说："这不是太阳，这是两个红灯笼。太阳在屋子外边呢！"

小兔子来到菜园里，看见三只红红的、圆圆的红萝卜："妈妈，这是太阳吗？"

妈妈说："这不是太阳，这是三只红萝卜。太阳在天上呢！"

小兔子抬起头，看见天上飘着四个红红的、圆圆的气球："妈妈，这是太阳吗？"

妈妈说："这不是太阳，这是红气球。太阳只有一个，还是很亮很亮的。你看——"妈妈指向天上的太阳。

小兔子抬着头，顺着妈妈手指的方向："啊！妈妈，我找到了，找到了。太阳是红红的、圆圆的、亮亮的，照在身上暖暖的。"

lóng	cài	piāo	shùn
笼	菜	飘	顺

会数数的小花狗

一只小花狗在马戏班里学会了数数。

一天，小花狗来到树林里，看见一只小鸡。

"汪，1！"小花狗想也没想就顺口数出来了。

"叽，我是1！"小鸡高兴地笑了。

小花狗走呀走，走呀走，看见两只鸭。

"汪汪，1、2！"小花狗又顺口数着。

"嘎嘎，我俩是1、2！"两只鸭高兴地笑了。

小花狗走呀走，走到草地上，看见三只羊。

"汪汪汪，1、2、3！"三只小羊也高兴地笑了。

小花狗走呀走，走呀走，碰到了四只小老鼠。

"汪汪汪汪，1、2、3、4！"小花狗又顺口数着。

"吱吱吱吱，我们是1、2、3、4！"四只小老鼠又高兴地笑了。

小花狗来到小河边，看见河边五只青蛙。

"汪汪汪汪汪，1、2、3、4、5！"小花狗又顺口数着。

"呱呱呱呱呱，我们是1、2、3、4、5！"五只青蛙又高兴地笑了。

小鸡、小鸭、小羊、小老鼠和小青蛙碰到一起，都说小花狗聪明，会数数。

十只小鸟听见了，飞到小花狗面前，排成一排，请小花狗数数。

"汪汪汪汪汪，1、2、3、4、5！"小花狗只会数到5。

"我只会数5个数。"小花狗一边说，一边跑开了。

小鸟请小朋友数，小朋友数着："1、2、3、4、5、6、7、8、9、10。"

　　十只小鸟拍起了手："喳喳喳喳喳喳喳喳喳喳，我们是1、2、3、4、5、6、7、8、9、10！"十只小鸟也高兴地笑了。

wāng	jī	gā	zhī
汪	叽	嘎	吱

pái	pāi	zhā
排	拍	喳

木马摇了

小豆豆坐在木马上，用力摇呀摇，可是木马怎么也不动。

小豆豆想：木马饿了吧！就从口袋里拿出饼干给木马吃。木马不吃。

小豆豆想：木马不吃饼干，它可能爱吃黄豆，就去拿黄豆给木马吃。木马不吃。

小豆豆想：木马渴了吧！就拿来自己的水给木马喝。木马不喝。

小豆豆想：木马不高兴了吧！我给它唱个歌吧：

"小木马，小木马，黄耳朵，红尾巴。摇一摇，笑哈哈，摇两摇，回到家。"木马还是不动。

"咦！木马怎么啦？是不是生病了。"小豆豆摸摸木马的头，看看木马的眼睛，又拍拍木马的肚子，最后蹲下来看木马的腿。

哦！原来木马的腿底下有个小石头。小豆

豆把小石头拣起来扔到一边。

　　小豆豆又骑上了木马，他轻轻一用力，木马就摇了起来。豆豆心里可高兴啦！

yáo	bǐng	kě	hē
摇	饼	渴	喝

dūn	dǐ	jiǎn	rēng
蹲	底	拣	扔

不怕冷的大衣

有一只可爱的小兔子叫毛毛。大家都喜欢他。

有一天下大雪，毛毛的小朋友们都在外面玩，只有毛毛还在屋里睡觉，不想起来，还对妈妈说："外面太冷，我一起床，就会冻死的。"

妈妈想出一个办法，对毛毛说："毛毛听话，你起来去找外婆。"

"找外婆干什么？"毛毛问道。

"外婆那里有一件不怕冷的大衣。"妈妈说。

"真的吗？"毛毛急着问。

妈妈点点头。

毛毛赶紧穿好衣服就跑出了家门。

小朋友看到毛毛出来，都说："毛毛，我们一起玩雪吧！"

"不，我要去外婆家拿不怕冷的大衣。"毛毛说。

小朋友们听了以后都笑了起来。

可是毛毛不理大家，他一口气跑到了外婆家，急着对外婆说："外婆，把那件不怕冷的大衣给我吧！"

外婆笑了，对毛毛说："不怕冷的大衣不是已经穿在你身上了吗！"

毛毛擦了擦满头的大汗，不好意思地说："哦，外婆，我明白了。"

yì	sī	lǐ	cā
意	思	理	擦

帮助小鸭子

太阳落山了，天黑了，树林里也黑了。

"呜——呜——呜——我要回家……"小鸭子迷路了，哭得好伤心。

小白兔跑过来，抱住小鸭子："不哭，不哭，小鸭子，我送你回家。你的家住在哪儿？"

"我的家就住在有水的地方。"

小白兔带着小鸭子来到小河边，可是这里没有小鸭子的家。小白兔急得没办法。

"呜——呜——呜——我要回家……"

小鸟飞来，给小鸭子擦眼泪："别急，别急，我能找到你妈妈。"

小鸟飞呀飞，飞到

西，飞到东。一路上不停地打听："谁知道呀？谁知道呀？哪位鸭妈妈丢了小宝宝？"

老牛听了哞哞叫："谁家丢了鸭宝宝？"

山羊听了咩咩叫："谁家丢了鸭宝宝？"

白马听了咴咴叫："谁家丢了鸭宝宝？"

黄狗听了汪汪叫："谁家丢了鸭宝宝？"

花猫听了喵喵叫："谁家丢了鸭宝宝？"

鸭妈妈急忙跑过来："哎呀！我的鸭宝宝不见了……"

小鸭子见了妈妈，挂着眼泪，急急忙忙跑到妈妈身边，鸭妈妈抱起小鸭子亲了又亲。

"宝宝，你跑出去那么远，找到了什么呀？"

"我找到了好多好朋友！"

小鸭子笑了，鸭妈妈笑了，小鸭子的好朋友们也都哈哈大笑了。

shāng	mōu	miē	huī
伤	哞	咩	咴

miāo	āi	guà
喵	哎	挂

孔融让梨

孔融有五个哥哥，一个小弟弟。

有一天，家里吃梨。一盘梨子放在大家面前，哥哥让孔融先拿，孔融不挑大的，只拿了个最小的。父亲看见了，心里很高兴。别看孔融才四岁，还真懂事。

父亲故意问孔融："这么多的梨子，又让你

先拿。你为什么不拿大的，只拿一个最小的呢？"

孔融说："我年纪小，应该拿最小的，大的让给哥哥吃。"

父亲又问："你还有个弟弟哪，弟弟不是比你还要小吗？"

孔融说："我比弟弟大，我是哥哥，哥哥当然要让给小弟弟吃。"

父亲听了，笑得合不上嘴："好孩子，好孩子，真是一个懂事的好孩子！"

kǒng	róng	lí	pán	xiān
孔	融	梨	盘	先

suì	dǒng	jì	hé
岁	懂	纪	合

鳄鱼上当了

小鸭子和小刺猬是好朋友。

一天，他们一起出门去玩，走到一条大河边时，小鸭子想下河去游泳，可是又有点害怕。

"如果河里有鳄鱼怎么办？"小鸭子说。

"那就别去游泳！"小刺猬说。

"可是我太想游泳了。再说我身上很脏，想在河里洗洗。"

小刺猬听了就和小鸭子咬了咬耳朵，小鸭

子就勇敢地下了河。

小鸭子游得真开心。

忽然，一条大鳄鱼朝小鸭子游了过来。

"有鳄鱼，小鸭子快逃！"小刺猬叫着。

小鸭子一下子扎进水里，不见了。

小刺猬在河岸上，一边朝前跑，一边高声喊："小鸭子，快向前游！"

鳄鱼急了，也没命地朝前面追，等鳄鱼朝前面追了一气，小鸭子早已从后面上了岸。

原来小鸭子一扎进水里，就往后面游走了。

小刺猬回过头来，和小鸭子抱在一起笑着说："大鳄鱼上当了！"

cì	wèi	rú	è
刺	猬	如	鳄

zāng	zhā	àn	zhuī
脏	扎	岸	追

放风筝

小兔毛毛做了一只漂亮的风筝。

他把风筝带到草地上，准备把风筝放上天。

小胖刺猬看见了，就对小兔说："毛毛，能让我放放风筝吗，我从来都没有放过风筝，我可想放风筝了。"

小兔想了想，说："好吧。"就把风筝交给了小胖刺猬。

小胖刺猬拉着风筝线，使劲地跑起来。

可是小胖刺猬太胖了，腿也太短，跑也跑不快。一不小心，小胖刺猬

看，我们的风筝飞上天了！

太棒了！

摔倒了。他很伤心地说："我跑不快，风筝是放不成了。"

"没关系，我来帮你。"小兔一边说一边拉起风筝线使劲地跑起来。跑啊跑，风筝慢慢地飞上了天。

小兔看风筝已经飞上天，就把风筝线交给了小胖刺猬："小胖，你拉好线，快放啊！"

小胖刺猬一点点地放着线，风筝就越飞越高，越飞越高。小胖刺猬高兴地喊着："看啊！我们的风筝飞上天啦，越飞越高啦！"

看见小胖刺猬那么高兴，小兔的心里也乐开了花。

zhēng	pàng	jiāo	xiàn
筝	胖	交	线

shǐ	jìn	duǎn
使	劲	短

交朋友

一只小猪想交几个朋友，他就站在家门口大声喊："啰啰啰，啰啰啰，谁来和我交朋友？"

一只小鸟飞过来，想和小猪交朋友，小猪摇摇头："我可不高兴和你这个爱吵闹的小不点儿交朋友。"

小鸟不高兴地飞走了。

小猪又大声喊："啰啰啰，啰啰啰，谁来和我交朋友？"

一只山羊走过来，想和小猪交朋友。小猪大笑起来："你满身都是好难闻的气味，哪个会想和你交朋友？"

山羊生气地走了。

小猪又大声

谁来和我做朋友？

喊："啰啰啰，啰啰啰，谁来和我交朋友？"

一只小白兔跑过来，要和小猪交朋友。小猪望着天上说："和三瓣嘴交朋友，多难看呀。"

小兔难过地走了。

后来又来了许多小动物，都想和小猪交朋友，但小猪不是说人家这儿有毛病，就是对人家那儿不满意。半个月过去了，小猪一个朋友也没有找到。

小猪怎么也不明白，为什么找不到想象中的朋友？

聪明人对他说："哪个人都会有一些缺点和缺欠。谁要是想找到没有缺点和缺欠的朋友，他就永远没有朋友。"

luo	chǎo	wén	wèi
啰	吵	闻	味
bàn	bàn	quē	yǒng
瓣	半	缺	永

大雪兔

静静的雪地里，只有一个雪娃娃站在那里。一只小兔子跑来，看见雪娃娃的胡萝卜鼻子，高兴得跳起来，因为那是她最喜欢吃的东西。

小兔想：吃雪娃娃的鼻子不好吧。可是又一想，它的鼻子太长了，我把它咬短点就更好看了。

于是，小兔踮起脚，"啊呜"咬了一口。哦，胡萝卜真甜。她又咬了一口。一连咬了三口，坏了！雪娃娃的长鼻子变成塌鼻子了。怎么办呢？妈妈说过：不能随便吃别人的东西。

我现在已经吃了，总应该告诉堆雪人的小朋友吧，道个"对不起"吧！

于是，小兔就在雪地里等，等呀等呀，等了半天，也没有人来。她看着雪娃娃，忽然就有了主意。她就用雪在雪娃娃的头上加了两只长耳朵，又捏了三瓣嘴。哈！雪娃娃忽然就变成了在吃胡萝卜的大雪兔。等堆雪人的小朋友来了，一定会猜出胡萝卜是让小兔吃了。

小兔放心地回了家。

第二天，小兔打开门一看，门前放着一篮胡萝卜，还有一张纸条，上面写着："送给诚实可爱的小兔——你的朋友贝贝、小狗毛毛，小猫花花。"

jìng	diǎn	lián	tā
静	踮	连	塌

suí	biàn	niē	cāi
随	便	捏	猜

唱歌比赛

有一天，小鸡、小鸭、小狗、小羊和小猫举行唱歌比赛。他们请小白兔做评判员。

小鸡第一个唱："叽叽叽，叽叽叽。"小白兔说："小鸡唱得太轻了。"

鸭子接着唱："呷呷呷，呷呷呷。"小白兔说："鸭子唱得太响了。"

小狗说："我来唱。"它很快地跑到前面，唱："汪汪汪，汪汪汪。"小白兔说："小狗唱得太快了。"

小羊说："我来唱。"它慢慢吞吞地走到前面："咩——咩——咩。"小白兔说："小羊唱得太慢了。"

最后，轮到小猫唱。小猫不慌不忙地走到前面唱起来："喵喵喵。"小白兔说："小猫唱得不快也不慢，声音不小也不大，太好听了。小猫应该得第一名。"

jǔ	sài	píng	pàn
举	赛	评	判

xia	tūn	lún	huāng
呷	吞	轮	慌

森林火车

冬天到了，天上飘着鹅毛大雪，森林里到处是厚厚的白雪。

天气真冷啊！森林里的小动物们都不敢出门了。

森林火车不怕冷，轰隆隆地跑着。可是车厢里空空的，一个客人也没有。火车难过得停下来哭了。

雪堆里钻出来一只小老鼠，安慰火车说："别哭，我带你去接小朋友。"

小老鼠跳上了火车，呀！车厢里可真暖和。

呜—呜—火车开到了白兔家，小白兔跳上了火车。

呜—呜—火车开到了黄狗家，小黄狗跳上了火车。

呜—呜—火车开到了公鸡家，小公鸡跳上了火车。

呜—呜—火车开到了松鼠家，小松鼠跳上了火车。

呜—呜—火车开到了小猪家，小猪跳上了火车。

小朋友们在车厢里唱歌。

火车呜—呜—呜—它笑了。

hòu	hōng	lóng	xiāng
厚	轰	隆	厢

kōng	kè	wèi
空	客	慰

会狗语的老鼠

一天晚上，老鼠妈妈带着小老鼠出去找食物，在一个破桶里发现了很多吃剩的饭菜。正当大家吃得高兴时，忽然传来让它们心惊肉跳的猫叫声。

老鼠们四散奔逃，但老花猫紧追不放，终于，两只小老鼠被老花猫抓住了。

突然传来一阵狗叫声。

老花猫听到狗叫声后，松开一只小老鼠，抓着一只小老鼠飞快地逃走了。

就在老花猫张口要咬抓到的小老鼠的时候，忽然又传来一连串可怕的狗叫声。

吓得老花猫丢开小老鼠，飞快地逃走了。

这时，老鼠妈妈从破桶后面走出来说："我早就对你们说过，多学一种话大有好处。你们看，刚才我就是用学的狗叫声吓跑了猫，才救了你们一命。"

shèng	chuán	sàn	bēn
剩	传	散	奔

zhōng	zhuā	cái
终	抓	才

两只笨狗熊

　　狗熊妈妈有两个孩子，一个叫大黑，一个叫小黑。他们长得很胖，可是都很笨，是两只笨狗熊。

　　有一天，天气很好，哥儿两个手拉手一起出去玩儿。他们走着走着，忽然看见路边有一块干面包，捡起来闻闻，好香。可是一块面包两只小狗熊怎么吃呢？大黑怕小黑多吃一点，小黑怕大黑多吃一点，这可不好办呀！

　　哥儿俩正闹着，狐狸大婶来了，她看见干面包，眼珠一转，说："哦，你们是怕分得不公平吧，让大婶来帮你们分。"

　　"好，好！"

　　狐狸大婶接过干面包，一下子把它分成两块。哥儿俩一看，连忙叫起来："不行，不行，一

块大，一块小。""你们别着急，看，这一块大一点吧，我咬它一口。"

"不行，不行，那块大的被你咬一口，又变成小的了。"

"你们别着急呀！看，这块大一点吧，我咬它一口，不就一样大了吗！"

"不行，不行，那块大的被你咬一口，又变成小的了。"

狐狸大婶就这样，这块咬一口，那块咬一口，于是干面包只剩下小手指头那么一点儿了。她把一丁点儿大的干面包分给大黑和小黑，说："现在两块干面包都一样大小了。吃吧，吃吧，吃得饱饱的。"

大黑和小黑你看着我，我看着你，一句话也说不出来。

kuài	zhū	zhuǎn	píng
块	珠	转	平

dīng	bǎo	jù
丁	饱	句

大家都睡着了

公交车到站了，小姑娘带着玩具熊跟着妈妈上车了。

小姑娘抱着玩具熊坐在妈妈怀里，拍着小熊唱起了歌。妈妈说："不要在车里大声唱歌。"

小姑娘说："小熊想睡觉，可是合不上眼睛。"她就又唱起来："睡吧，我的小乖乖，睡觉觉吧……"

妈妈睡着了，小姑娘更生气了："妈妈都睡着了，你还不睡！"于是接着给小熊唱歌。旁边的老奶奶睡着了，车上的人一个个都睡着了，司机也睡着了，只有玩具熊一直不合眼睛。

车自己向前走了一会儿，就停在大街上。于是堵了

好多车，大街上乱成一片。

一个人指着车上说："你们听！"这时车上传来了歌声："小熊乖乖，快点睡吧……"看热闹的人听了歌也都睡着了。

警察说："这怎么行？这样下去，全城的人都会睡着的。"

一个叔叔说："我看看到底是怎么回事！"他扒到车窗上，看到了车里的情况，就对警察说："车上一个小姑娘自己睡着了，还在唱歌。"

警察上了车，把小熊从小姑娘怀里拿出来，合上了小熊的眼睛，又把它放回小姑娘的怀里。

这时，妈妈醒了，老奶奶醒了，车上的人一个个都醒了。醒过来的司机连忙跳下车，向醒过来的路人道"对不起"，所有的人都笑了。

huái	sī	jī	jiē	dǔ
怀	司	机	街	堵

luàn	jǐng	chá	shū	bā
乱	警	察	叔	扒

找衣服

睡觉前，小猴喜欢扔衣服，东一件，西一件……扔得找不到。这一天，他又是脱一样，扔一样，扔完了，就睡觉了。

第二天，小猴刚醒来，好朋友小羊就在窗外叫："小猴，小猴，快上幼儿园！"

"小羊，小羊，等等我！"

小猴跳下床，咦，衣服哪儿去了？东找找，西找找，找着一只鞋，鞋子在床上。窗外小羊等得急了："小猴，小猴，快一点！"

小猴穿着一只鞋，只好一只脚跳，一跳一跳，跳到窗口叫："小羊，小羊，帮帮我，帮我找找衣服！"

小羊进来帮他找，找呀找，找到一只袜子，袜子在沙发上。小狗来了："小猴，小猴，快点走！"

"小狗，小狗，我在找衣服，快来帮帮我！"

　　小狗帮忙一起找，找呀找，找到一条裤子，裤子在床下。

　　找呀找，出汗了，小猴开电扇。电扇一转，呼——一团黑黑的东西飞下来。小猴、小狗和小羊吓得转身逃："哇，是妖怪！"

　　逃了一会儿，没见有动静，他们悄悄跑回来，一看，原来是上衣从电扇上飞下来了。

　　现在还少一只袜子一只鞋，它们在哪里呢？

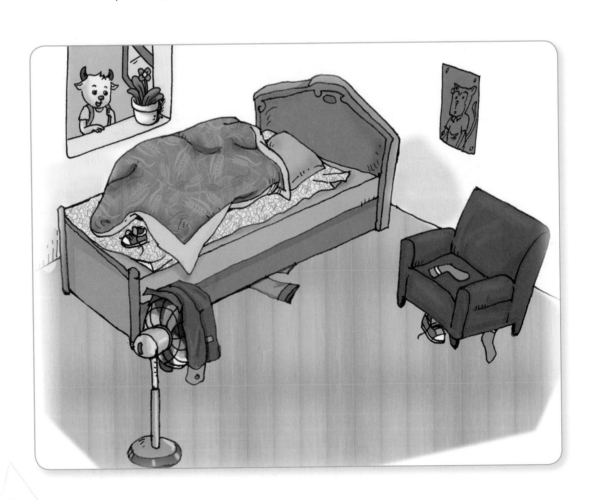

小羊、小狗和小猴，找到中午才找到，鞋子在窗外草地上，袜子挂在小猴裤子背后的裤带上。

找到了，快上幼儿园。一二三，跑呀跑，一下子撞到了牛老师。

牛老师很奇怪："你们为什么在外面玩，不上幼儿园？"

"我……我们……没玩……"小羊轻轻说。

"我们帮小猴找衣服。"小狗轻轻说。

牛老师明白了："好了，好了，快进去吧，明天早点来！"

第二天，小猴会怎样？小朋友说说看。

tuō	xié	wà	shā
脱	鞋	袜	沙

kù	wā	yāo	qiāo
裤	哇	妖	悄

过生日

今天，小猫咪咪过生日。

天刚亮，屋里就响起了小猫咪咪的歌声："喵喵喵喵喵，我是小花猫，今天过生日，和面做蛋糕。"

蛋糕做好了，真香啊！小猫咪咪在蛋糕上面插了三支彩色蜡烛。

小猫咪咪划着了第一支火柴，点着了红色的蜡烛。

忽然，远处传来了小鸭的歌声："嘎嘎嘎嘎嘎，我是小黄鸭，小猫过生日，我来祝

贺她。"

小猫咪咪听到歌声，马上打开屋门，请小鸭来做客。

小猫咪咪划着了第二支火柴，点着了黄色的蜡烛。

这时，远处又传来了小鸡的歌声："叽叽叽叽叽，我是小公鸡，小猫过生日，我来祝贺她。"小猫咪咪马上打开屋门，请小鸡来做客。

小猫咪咪划着了第三支火柴，点着了蓝色的蜡烛。

三个小朋友一起唱起了歌："嘎嘎嘎，叽叽叽，喵喵喵喵喵——大家在一起，生日真热闹！"

欢乐的歌声飞进树林，小动物们都来到小猫咪咪的家里，小猫咪咪的生日过得真热闹！

mī	dàn	gāo	chā	cǎi
咪	蛋	糕	插	彩

là	zhú	huá	chái	zhù
蜡	烛	划	柴	祝

小公鸡和狗哥哥

　　小公鸡和大黄狗是一对好朋友。一天，公鸡想出去旅游。黄狗一想，森林里有狼和狐狸，就决定陪公鸡一起去旅游。

　　他们两个东游游，西逛逛，玩得十分痛快。天黑了，他们来到一棵大树下，准备睡觉。

　　小公鸡一飞就飞到树枝上睡觉去了，大黄狗看见树下有个洞，就钻到里面睡觉去了。

　　一夜过去，天快亮的时候，公鸡欢欢喜喜地在树上叫了起来："喔！喔！喔！"

　　这一叫，让山里的狐狸听见了。狐狸想："我昨天一天没有吃到东西，今天可有现成的饭吃了。"他很快就找到树下，装出很客气的样子问公鸡："嗨！小公鸡，怎么想到我们树林里来玩了？那边有个很好玩的池塘，来！我带你到那边去看看。"

　　公鸡说："是吗？那可太好了。请你叫醒我的哥哥，他还在树洞里睡觉呢！"

　　狐狸一听更高兴了，心里想："今天真是运气好，能吃到两只鸡呢！"就一头扎进树

洞，朝里面就咬。可是他做梦也没有想到，从洞里跳出来的是一只大黄狗，一口就把自己给咬住了。

lǚ	jué	péi	guàng
旅	决	陪	逛

wō	hēi	chí	táng
喔	嗨	池	塘

不愿长大

小猴子胖胖长大了，可他老说"我还小呢"。于是，他还睡在摇篮里，还要妈妈摇，吃饭还要妈妈喂，也不怕难为情。

有一天，小猴子跟着妈妈出门，他不肯自己走，坐在小车里，让妈妈推着走。他们走上小山坡，妈妈已经累出了汗。妈妈让胖胖自己走，可是胖胖在车里喊："我还小，我还不会爬坡呢！"

　　这时，对面也来了一位推车的妈妈，车里坐着个可爱的小朋友。这位妈妈也累了，她不小心手一松，车子就沿着山坡咕噜咕噜滚下去，小朋友吓得哇哇大哭。这时胖胖忽然从车子里跳出来，一把抓住滚下来的车子，车子停住了。那位妈妈连声说："大猴先生真勇敢！谢谢你了，谢谢你救了我们！"

　　这时，胖胖乐了：有人叫自己"大猴先生"呢！从此，胖胖再也不要坐小车了，还帮着妈妈拿东西呢！

　　当大家夸他时，胖胖说："那天我救了一个比我还小的小朋友，我已经长大了。"

wèi	kěn	pō	wèi
喂	肯	坡	位

yán	lū	gǔn	kuā
沿	噜	滚	夸

司马光救小朋友

从前，有个七岁的孩子叫司马光。有一天。他和几个小朋友在花园里玩"捉迷藏"的游戏。他们玩得正高兴，忽然听到"扑通"一声。不好了，一个小朋友掉到水缸里去了。

原来，就在那座假山下面，有一口水缸。这口水缸很大很大，里面装满了水。

在玩捉迷藏时，一个小朋友藏到假山上，一不小心，从假山上跌下来，正好掉到大水缸里。

这可把小朋友们都吓傻了。大家都知道要赶紧掉把进水缸的小朋友救上来，要不然他就会没命

了。可是大家都是个子矮，力气小的孩子，没有办法救他。去叫大人吧，时间来不及了。怎么办呢？有的小朋友吓得哭了，有的小朋友吓得跑了。只有司马光不哭也不跑，他站在那里想办法。

"有啦！"他赶紧去找了一块大石头，抱起来使劲向水缸砸去。只听得"咔嚓"一声响，水缸被砸出一个大洞，"哗哗哗，哗哗哗！"水从水缸里流了出来，一会儿就流光了，掉到水缸里的小朋友得救了。

这件事传开后，大人们都夸司马光是个又聪明又勇敢的孩子。

tōng	gāng	diē	shǎ
通	缸	跌	傻
ǎi	jiān	jí	zá
矮	间	及	砸
kā	chā	huá	
咔	嚓	哗	

找月亮

有一天晚上，小猪老大和老二在一起。小猪老大说："听说月亮不止天上有，地上也有呢！"

老二说："真的？那我们和伙伴们一起去找找看。"

老大说："好。"

他俩请来了一群小猪，四处去寻找。

他们走到水井边，一只小猪高兴地叫起来："哇！水井里有一个月亮！"

另一只小猪也喊道："小水洼里也有一个月亮！"

又一只小猪也惊奇地叫："看！露珠里也有一个月亮呢。"

当他们回到小猪老大和老二的家时，又看到玻璃窗上、水桶里、镜子里、奶奶的眼镜里都有月亮。月亮到处都有，有的大，有的小，真多啊！一只小猪还意外地发现，在每只小猪的两只眼睛里也都有一个月亮。

真是天上一个月亮，地上无数月亮。

zhǐ	qún	xún	jǐng	lìng
止	群	寻	井	另

wā	bō	li	jìng
洼	玻	璃	镜

小猪胖胖

一只小猪，叫做胖胖。

妈妈对他说："胖胖，胖胖，你太脏了！来洗洗吧。"

胖胖说："不，我不愿意洗。"

妈妈生气了，就来追他。可是胖胖跑得真快，妈妈追不上他。

跑着，跑着，"扑通"，胖胖掉到了泥坑里。

泥坑里尽是烂泥，胖胖在里面又是翻跟斗，又是打滚，玩得很开心。

等胖胖玩够了，就爬起来，摇摇摆摆回家去。妈妈看见了，吓了一大跳："你是谁？我不认识你！"

"妈妈，妈妈，我是胖胖，我是胖胖！"

"不是，不是，你不是胖胖。"

"是的，是的，我真的是胖胖。"

"出去，出去！你再不出去，我要打你了。"妈妈拿来了棍子。

胖胖吓得逃呀，逃出很远很远。

路上碰到羊姐姐，羊姐姐穿着很美丽的毛衣。

"快走开，快走开，别碰脏了我的新毛衣。"

路上又碰见猫妈妈，她正带着猫宝宝在玩。

"快走开，快走开，别吓坏我了的小宝宝。"

最后，碰见牛大婶，她正在井边洗衣服。

"哎呀！哪儿来的这么个脏东西！快来，我给你洗洗，冲冲。"

冲呀冲，洗呀洗，洗掉了烂泥，原来是小猪胖胖。

胖胖回家去，妈妈见到他真欢喜："胖胖，你什么时候学会了自己洗澡？"

胖胖说："妈妈，明天我要学会自己洗澡。"

ní	kēng	jìn	làn
泥	坑	尽	烂

bǎi	chōng	zǎo
摆	冲	澡

盖房子

猪妈妈有三只小猪，一只叫小黑，一只叫小白，一只叫小花。

有一天，猪妈妈对小猪们说："你们现在已经长大了，应该学一些本领。你们各自去盖一间房子吧！"

三只小猪高高兴兴地走了。走着，走着，看见前面有一堆稻草。小黑连忙说："我就用这稻草盖间草房吧！"

小白和小花还是一直向前走。走着，走着，看见前面有一堆木头。小白连忙说："我就用这木头盖间木头房吧！"

小花还是向前走去。走着，走着，看见前面有一堆砖头。小花高兴地说："我就用这砖头盖间砖房吧！"

于是，小花一块砖一块砖地盖起来。盖啊，盖啊，汗出来了，很累，但是砖房盖好了。

山后边住着一只大灰狼，它听说来了三只小猪，哈哈大笑说："三只小猪来得好，正好让我吃个饱。"

大灰狼走到草房前，用力撞一下，草房就倒了。小黑急忙逃出草房，跑到小白的木房子里。

大灰狼来到木房前，用力撞了一下，小木房摇了摇，大灰狼又用力撞了一下，木房就倒了。小黑和小白急忙逃出木房，边跑边喊："大灰狼来啦！大灰狼来啦！"

砖房里的小花听见了，连忙打开门，让小白和小黑进来，又紧紧把门关上。

大灰狼来到砖房前，用力撞了一下，砖房一动也不动；又撞了一下，砖房还是一动也不动；大灰狼用尽全身力气，对砖房重重地撞了一下，砖房还是一动也不动，倒是把大灰狼的头撞出了三个大包，四脚朝天跌倒在地上。

大灰狼爬起来，看见房顶上有一个大烟囱，就爬上了房顶，从烟囱里钻进去。刚好掉到烟囱下面的一口刚煮了开水的大锅里，就给烫死了。

以后，三只小猪一起盖了一座大砖房，把猪妈妈接了来，一起快乐地生活。

gè	dào	zhuān	dàn	jiǎo
各	稻	砖	但	脚

yān	cōng	zhǔ	guō	tàng
烟	囱	煮	锅	烫

捞月亮

在一座山上，住着一群猴子。

一天晚上，月亮又圆又亮，猴子们都下山来玩。他们蹦蹦跳跳，东张张，西望望，玩得很快乐。

一只小猴子看见一口水井。他趴在井沿上朝井里一看，咦！井里有一个又圆又亮的月亮。小猴子吓得跳起来就跑，一边大声叫喊："不好了！不好了！月亮掉到井里去了！"

老猴子听见了，连忙跑过来，朝井里一看，真的，井里有一个又圆又亮的月亮。老猴子就把大大小小的猴子都喊了来，对他们说："不得了！不得了！月亮掉到井里了！我们赶快把月亮捞上来吧。"

小猴子说："我们爬到大树上，一个接一个倒挂下来，一直挂到井里，就可以把月亮捞上来。"

大家说这个主意不错，就都爬上了大树。老猴子用两只脚紧紧钩住了树枝，倒挂下来。大猴子从老猴子身上爬下去，用两只脚钩住老猴子的手。就这样一个猴子接一个猴子，一直倒挂到井里。最最底下的一个是小猴子，他在井里喊了起来："行了，行了，够得着了。"他伸手去捞，大叫起来："不得了，月亮被我抓破了！"其他猴子都怪起小猴子来。

老猴子说："不要怪他。小猴子，你慢慢捞。"

一会儿，井水慢慢平静了，又出现了又圆又亮的月亮。小猴子高兴地喊："好了，好了，月亮又圆了。"

小猴子又伸手去捞，捞呀，捞了半天，还是只捞到一把水。小猴子捞不到月亮，急得吱吱直叫："哎哟！累死我了。月亮一碰就破，再也捞不起来啦！"

小猴子这么一叫，上边的猴子也都叫起来："我的腿酸了，挂不住啦！""我的手疼了，抓不紧啦！"

这时候，老猴子忽然抬头一看，又圆又亮的月亮还好好地挂在天上，就对大家说："你们看，月亮不是好好地挂在天上吗！哦，我明白了，井里是月亮的影子。"

听老猴子这么一说，小猴子、大猴子一个一个都爬到树上，大家看着又圆又亮的月亮，开心地"吱吱"笑起来。

bèng	pā	lāo	suān	téng
蹦	趴	捞	酸	疼

送信

清早，小花狗背着邮包去给动物们送信。

小燕子的家在屋檐下，小花狗高声喊："小燕子，你的信！"小燕子高兴地拿走了信。

小喜鹊的家在树枝上，小松鼠的家在树洞里。听到了小花狗的叫声，都乐呵呵地接过了信。

小兔子住在树根下的洞里，小兔子不在家，小花狗就把信放在洞口，还在上面压了一块石头。

大雁的家在河边的草里，小花狗扒开了

草，把信交给了大雁。

　　红鲤鱼的家在小河里，小花狗淌着水，把信送给了红鲤鱼。

　　小蜜蜂们的家有好多好多房间，小花狗把信一封一封地分送给了小蜜蜂。

　　布谷鸟没有家，小花狗找呀，找呀，最后才在一棵树上找到了布谷鸟。

　　小花狗送完信，就唱着歌高高兴兴地回家了。

　　小花狗的家在哪里呢？原来他的家在一座漂亮的小房子里。

yóu	yán	què	yā
邮	檐	鹊	压

yàn	lǐ	tǎng	mì
雁	鲤	淌	蜜

fēng	fēng	gǔ
蜂	封	谷

新邻居

小兔家的房子被大雪压塌了，兔妈妈就在小池塘边盖了一座新房子。

"我不喜欢新房子。"小兔不高兴地说，"这儿一个邻居也没有。"

"不要生气。"兔妈妈说，"很快我们就会有很多新邻居的。"

小兔不信。

第一天，小兔忽然看见小池塘里有很多小蝌蚪。

"妈妈，快来看，我们有新邻居了。"

妈妈说："到了夏天，他们就会整天'呱呱呱'地叫，那时你就会觉得有很多热闹的朋友了。"

第二天一早，小兔被叽叽喳喳的叫声吵醒了。呀，屋檐下有一个新的鸟窝。一对小鸟成了他们的新邻居。

　　下午兔妈妈和小兔在树林里看见黄黄的迎春花对他们张着笑脸。原来他们就是住得不远的邻居。

　　他们回到家，又看见屋外的地面冒出一些绿绿的小芽。

　　"这是爬山虎。"兔妈妈说，"很快，这些爬山虎就会爬上窗子，往屋里看呢！"

　　第三天晚上，小兔正在屋外玩时，忽然觉得地下的土在动。"地震了！"他大声叫着跑开了。

　　兔妈妈看着刚才小兔站过的地方，哈哈！

原来是一只刚刚冬眠醒过来的乌龟，正从地下拱出来。

"小兔，别跑。不是地震，是我们的新邻居乌龟冬眠睡醒后出来了。"小兔小心地走过来看那刚睡醒的乌龟，乌龟也奇怪地望着兔妈妈和小兔。

"呀！这个新家真好，我有了这么多的新邻居。我好喜欢这个新家！"小兔开心地欢呼起来。

lín	jū	kē	dǒu
邻	居	蝌	蚪

yíng	yá	zhèn	mián
迎	芽	震	眠

wū	guī	gǒng
乌	龟	拱

552个汉字+新添加汉字273个按拼音分类

A 爱按啊哎岸矮

B 爸鼻白不八宝贝变把背边班笔巴伯
吧布抱卜拔办帮笨北比被冰别病拨
备包报波饼瓣半便奔饱扒玻摆蹦

C 聪草唱吃春出藏成虫尺长从厂产吹
错才船朝车采窗串粗床迟穿处菜擦
刺吵猜才传察插彩柴池嚓冲囱

D 大地的多冬都弟东得到对打刀电动
躲堆掉点丢咚倒道洞顶带肚等朵当
灯定钓抖戴呆叠第盯店豆栋袋蹲底
懂短踮丁堵蛋跌稻但蚪

E 二耳儿鹅饿而饵鳄

F 风飞方放饭缝付分发法反服封蜂

G 歌个狗高公过给告乖果工关敢呱赶
根棍咕光共更干菇该刚够瓜跟竿钩
怪盖故柜嘎挂糕逛滚缸各锅谷龟拱

H 火好和花孩红会黄黑还很哈回河后盒画话猴荷喊灰害胡虎湖狐坏忽呼候汗（还）呵贺糊欢喝合咳慌厚轰怀划嗨哗

J 家九见鸡季姐就叫急教具尖进节菊浇救假夹角今加觉睛接己近金京记颈结件（觉）经讲久几啾惊紧叽拣纪交劲静举句机街警决间及镜井尽脚居

K 口哭看开快可颗科棵块壳渴孔空客裤肯夸咔坑蝌

L 亮六绿蓝落来了乐礼里老冷柳狼啦路两萝拉力脸练离丽鹿林篮狸劳流凉怜（了）泪露累粒笼理梨啰连轮隆乱蜡旅噜另璃烂捞鲤邻

M 妈木目明眉们猫马米妹迷门吗貌梦苗面没梅民么拇名毛慢每美满蘑摸命忙帽冒买莓蚂哞咩喵咪蜜眠

N 牛奶鸟你能拿念年农南呢哪难暖脑闹您那男妞捏泥

O 哦

P 朋跑爬婆怕片碰扑漂破旁皮飘排拍盘胖评判平陪坡趴

Q 七气青秋去起球请前期清求圈亲汽全骑奇其轻情欠齐缺悄群鹊

R 人日认肉然热让扔融如

S 上水三山石四手树是书少生十说时诉送睡身摔声谁伸熟鼠什死食事狮数闪扇森所甩算松受婶实师色识顺思伤岁使随赛剩散司叔沙傻酸

T 天太土田头他跳兔驮甜听同桃它痛逃她抬贴苔题停透腿桶条推偷塌吞脱塘通烫疼淌

W 我五玩问文尾蛙晚午无网外为娃往鸣忘物屋窝望碗舞完蜗汪猬闻味慰袜哇喔喂位洼乌

X　小笑下星心学习戏雪夏西兴向谢猩想醒香象熊吓洗信行稀响写系像新肖选现细喜先线呷厢鞋寻

Y　一月阳云有羊叶雨爷游友鱼要也又鸭泳幼园用玉勇燕椅原呀音右阴咬牙圆眼以样因应影于羽远哟已越油衣咦蚁夜摇意永妖沿烟邮檐压雁迎芽

Z　中子在字早做真着捉再只照正总竹住找仗种（种）最坐桌走左怎知这座昨指张嘴纸自直撞啄装猪枝整（着）祝钟准站仔钻喳吱脏扎追筝抓终珠转烛祝砸止澡砖震煮

（原黑色汉字552字＋新红色汉字273字，共825汉字）